爱因斯坦

牛顿编辑团队　编绘

河南科学技术出版社
·郑州·

图书在版编目（CIP）数据

爱因斯坦 / 牛顿编辑团队编绘 . —郑州 : 河南科学技术出版社 , 2020.6
（给我的孩子讲世界名人）
ISBN 978-7-5349-9984-0

Ⅰ . ①爱… Ⅱ . ①牛… Ⅲ . ①爱因斯坦 (Einstein, Albert 1879–1955) —传记—少儿读物 Ⅳ . ① K837.126.11–49

中国版本图书馆 CIP 数据核字 (2020) 第 085056 号

出版发行：河南科学技术出版社
地址：郑州市郑东新区祥盛街 27 号　邮编：450016
电话：(0371) 65788890　65788630
网址：www.hnstp.cn
策划编辑：孙　珺
责任编辑：孙　珺
营销编辑：张　萍
责任校对：吴华亭
责任印制：朱　飞
装帧设计：徐胜男　张　萍
监　　制：王兆阳
印　　刷：河南瑞之光印刷股份有限公司
经　　销：全国新华书店
开　　本：787 mm × 1 092 mm　1/16　印张 : 2　字数 : 50 千字
版　　次：2020 年 6 月第 1 版　2020 年 6 月第 1 次印刷
定　　价：16.00 元

1879 年 3 月 14 日，阿尔伯特·爱因斯坦出生于德国南部的小城乌尔姆，不过一年之后便举家迁移到慕尼黑了。

爱因斯坦的父亲是一位商人，和他的弟弟雅各布合开了一间小型电器厂。

爱因斯坦的父亲性格开朗，对文学有着浓厚的兴趣，尤其喜欢席勒和海涅的诗，爱因斯坦的母亲擅长弹钢琴，特别是贝多芬的奏鸣曲。

“念完这首诗，你就去睡觉吧！”

“爸爸，我还不想睡，我想留下来听妈妈演奏。”

6岁时，爱因斯坦开始学小提琴。

爱因斯坦三岁时还不会说话，他总喜欢一个人躲在院子里望着天空。

他想："天空的变化好有趣啊！"

下雨了，别人都往屋里跑，他却在想："天空哭了……"

等爱因斯坦会说话后，他总有很多问不完的问题。

"这针为什么老是指向北方？"

"什么是磁力呀？磁力能到处跑吗？"

"为什么我是犹太人呀？"

…………

1888年，爱因斯坦进入慕尼黑路易波尔德高级中学读书，他不喜欢填鸭式的教学法。因为爱问问题，他被视为怪胎。老师十分痛恨他提出的那些艰深的问题。

“唉，小学老师像军队里的上士，就连语文老师也好不到哪里去，像中尉，惨哪！”

爱因斯坦最喜欢的学科是数学和物理，对语文则没有一点儿兴趣。

“塔尔梅叔叔，什么是代数？”

“代数就是把未知数x当作一头动物，努力去寻找，直到把它抓住为止。”

塔尔梅是慕尼黑医科大学的一名学生。爱因斯坦家有个传统，每周三下午都会邀请贫寒的犹太学生到家里聚餐，塔尔梅就是其中之一。爱因斯坦十分喜欢和他交谈。

“你知道毕达哥拉斯吗？”在爱因斯坦的学习过程中，塔尔梅给予了他关键性的指引。
“你的运算能力很强，这本《平面几何》就送给你了。”
“既然你对科学这么有兴趣，”塔尔梅说，“那么你更应该读读《自然科学通俗读本》这套书。”
《自然科学通俗读本》极大地拓展了爱因斯坦的知识领域，激发了他对科学的兴趣。

1894 年，爱因斯坦 15 岁时，父亲的工厂破产了，父亲和叔叔举家迁往意大利，唯独爱因斯坦继续留在德国读书，他一个人更加孤独了。

1896 年秋，爱因斯坦考入了苏黎世联邦理工学院。在这里，他邂逅了几位影响了他一生的人：马塞尔·格罗斯曼、米列娃和阿德勒。阿德勒的父亲是一位法国政治家，阿德勒也因此十分热衷于谈论政治问题，在他的影响下，爱因斯坦开始对政治感兴趣了。

苏黎世联邦理工学院崇尚自由，学生可以自主选择自己喜欢的科目。爱因斯坦的兴趣在物理，因此常常不去上明可斯基教授的数学课。这遭到了格罗斯曼的强烈反对："虽然你喜欢的是物理学科，可是要想从事物理学研究，打好数学基础非常重要！"

这里好自由，真是读书的好地方！
化学教室
地理教室
生物教室
格罗斯曼是一位数学天才，他和爱因斯坦经常探讨问题，他的很多见解特别是数学笔记极大地帮助了爱因斯坦。

1900 年，21 岁的爱因斯坦大学毕业了。他成了一位代课老师，但一个学期后就失业了。

不久，爱因斯坦找到了一份学生宿舍的辅导老师的工作，辅导对象是两名高中生。闲暇时他就引导孩子们如何自由思考，没想到这却遭到了雇主的反对：“爱因斯坦先生，我们这里不希望有太多意见，你只要教他们背书就好。”

爱因斯坦不同意，于是被解雇了。

1902 年 6 月，在好友格罗斯曼父亲的帮助下，爱因斯坦成了伯尔尼专利局的一名员工，终于有了第一份固定的工作。

爱因斯坦很快就掌握了工作技巧，一天的工作只需要三四小时就完成了。剩余的时间他用来研究物理。“如果想成为一名真正的学者，就去当鞋匠吧！”爱因斯坦把他在专利局的工作称为“鞋匠工作”，他认为，真正的学者应该在专业的研究之外多接触实际的工作，即使是鞋匠也无妨，这样生活才能丰富多彩。

1905 年，爱因斯坦在《物理学年鉴》上发表了 5 篇论文。第四篇论文就是在物理学界引发极大震撼的狭义相对论，这篇题为《论动体的电动力学》的论文，开创了物理学的新纪元。

不久，爱因斯坦又发表了一篇论文，提出了与相对论同样著名的公式 $E=mc^2$，E 表示物体静止的能量，m 表示质量，c^2 表示光速的平方。这个公式指出，即使是微小的物质，也能产生巨大的能量。

“爱因斯坦是20世纪的哥白尼。”普朗克第一个站出来拥护爱因斯坦的相对论。普朗克是柏林大学的教授，他最先提出了量子论。

“爱因斯坦是谁？”

“什么？他才20多岁！”

“啊？爱因斯坦竟然只是个专利局的小职员！”

因为爱因斯坦在物理学上的重要发现，1905年又被称为爱因斯坦奇迹年。

这一年，爱因斯坦26岁。

爱因斯坦在物理学界声名鹊起，欧洲各地的大学纷纷请他去任教。

1913 年，爱因斯坦独自前往柏林，担任威廉皇家物理研究所所长，成为德国皇家科学院最年轻的院士。爱因斯坦原本以为来到这里可以把全部时间用于研究物理，但没想到科学院的学术氛围十分不好。当时柏林物理学界流行一句话：柏林只有两种物理学家，一种是爱因斯坦，一种是科学院里的其他科学家。

科学院的会议十分无聊，经常讨论一些无关紧要的话题。

很多功成名就的老学者还批评爱因斯坦穿着随便，不懂交际。

“随他们说去吧。我才不想把精力浪费在那些无聊的讨论上呢。” 对于他们的批评，爱因斯坦不以为意，只沉浸在自己的研究当中。至于柏林大学以及其他大学的学术精英们每周一次的讨论会，爱因斯坦不但积极参与，还是讨论会的中心人物。

1916 年，爱因斯坦终于完成了《广义相对论基础》。一时间，相对论风行全世界，爱因斯坦也成了家喻户晓的名人。

据天文学家预测，1919 年 5 月会有日全食。为了验证广义相对论的正确性，英国日全食观测队在著名科学家亚瑟·爱丁顿爵士的策划下，分成两队，一队前往巴西北部观测日全食，一队到非洲西部观测。之所以派出两支观测队，是因为日全食的过程只有几分钟，很可能由于天气原因而无法观测到。

观测的结果显示，太阳的引力确如广义相对论所说的，能使星体的光线弯曲，星光有（1.64±0.30）角秒的偏折，这与爱因斯坦计算的 1.75 角秒非常接近。

牛顿的绝对空间理论被爱因斯坦的全新理论彻底推翻了。

您的理论得到了证明，很高兴吧？
我并不需要证明，需要证明的是别人啊！

1933年1月，希特勒当选为德国总理，上台后，开始实施独裁统治，控制公民言论、出版自由，大肆迫害犹太人。

爱因斯坦也遭到了迫害，纳粹警察没收了他的房屋和银行的所有存款，还烧毁了爱因斯坦所有的著作，并悬赏刺杀爱因斯坦。爱因斯坦被迫离开德国，前往比利时，暂时住在一处隐蔽的别墅里，比利时国王派警卫保护他的安全。

“没想到我的命这么值钱。”爱因斯坦吐了吐舌头。

艾尔莎说：“我们还是去美国吧，在这里我每天都过得提心吊胆。”

1933 年秋天，爱因斯坦带着妻子艾尔莎、秘书海伦、助手沃尔特，搭上了开往美国的轮船。他准备接受普林斯顿大学终身教授的职位。

1939年3月，流亡到美国的匈牙利科学家西拉德和维格拉来普林斯顿拜访爱因斯坦。二人提议由爱因斯坦给美国总统写信，建议美国制造原子弹。当时，世界局势风起云涌，在东方，日本开始全面侵略中国。在欧洲，希特勒咄咄逼人，先后出兵侵略芬兰、奥地利和捷克——世界大战一触即发。德国开始秘密研究一种新型武器——原子弹。根据爱因斯坦的质量方程，铀原子在核裂变时会释放巨大的能量，可以用于制造威力惊人的原子弹。

“如果希特勒抢先造出这种原子弹，那麻烦就大了。”西拉德说。

“可是那会造成毁灭性的伤害，不过为了阻止希特勒的暴行……”爱因斯坦接受了西拉德和维格拉的建议，给罗斯福总统写信。

罗斯福接受了爱因斯坦等科学家的建议，启动了核武器计划，开始秘密研制原子弹。

1939 年 9 月，德军突然进军波兰，第二次世界大战全面爆发了。

1941 年 12 月 7 日，日本偷袭美国夏威夷海军基地珍珠港，美国正式参战。

原子弹的研发并不顺利，一开始，美国政府只拨了 6 000 美元经费，直到日本偷袭珍珠港后，美国才加大对原子弹的研发和投入，到 1942 年 8 月发展成代号为“曼哈顿工程”的庞大计划。

1945 年 7 月，在新墨西哥州的荒漠中，世界上第一颗原子弹试爆成功。
绝不能把这种可怕的武器用于战争！

此时，德国已无条件投降两个多月了。第二次世界大战已接近尾声，轴心国中，日本仍在负隅顽抗。为了迫使日本投降，新任的美国总统杜鲁门下令对日本使用核武器。1945 年 8 月 6 日，美军在广岛投下了一颗原子弹，摧毁了广岛所有的建筑物，20 多万人因此死亡。8 月 9 日，美军又在长崎投下了一颗原子弹，长崎变成一片废墟。

不久，日本终于宣布无条件投降，第二次世界大战结束了。

听到广岛、长崎原子弹爆炸的消息后，爱因斯坦非常懊悔——“我当初给罗斯福总统写信，是不是错了？”

1946 年，参与制造原子弹的科学家们成立了原子能科学家非常委员会，专门从事核能危险性的宣传工作，爱因斯坦担任会长。

“战争虽然已经结束了，但和平仍然遥遥无期。”

至死，爱因斯坦都在为和平奔走呼号。

1955 年 4 月 18 日，继牛顿之后最伟大的物理学家——阿尔伯特·爱因斯坦在普林斯顿静静地安息了，享年 76 岁。

现代物理学的开创者

阿尔伯特·爱因斯坦，这个因“相对论”而闻名世界的物理学家，修改了 100 年以来牛顿万有引力的理论，被誉为“20 世纪的哥白尼”。

然而，这样一位伟大的科学家，小时候却丝毫没有“神童”的模样，他甚至 3 岁以后才会说话。童年时代的大部分时间，他总是一个人静静地沉思。因为沉浸在思考宇宙自然的奥秘中，能给他的心灵带来无比的快乐和舒畅。5 岁时，他对罗盘恒定指北的那种看不见、摸不着的神秘力量充满了奇异的感觉，这激起了他探究不可知的自然规律的兴趣。12 岁那年，欧几里得几何学带给他另一次奇妙的激荡，他把自己关在书房里，一遍又一遍地推演书中的几何定理。在小小的书房中，他思考的却是无限宽广的世界。

此外，崇尚自由、爱好和平的天性，表现在他待人接物上，使他除了有科学的成就之外，更散发出暖阳般温煦的爱心，并因此备受尊崇。从小，他就不像其他小孩一样，对德国俾斯麦军国主义下的军人满怀憧憬，他讨厌充满肃杀之气的军队，所以他说“长大之后，绝不当军人”。这样的心性，当然受不了慕尼黑路易波尔德高级中学刻板的管理和填鸭式的教育。为此，他宁可放弃已经念了 7 年，再念 1 年就可以领到的中学文凭，毅然休学。倘若他心中对自由没有强烈的向往，又怎么会如此地义无反顾呢？

辍学后，爱因斯坦在瑞士亚劳中学补上一年中学课程。这一年，他享受到了真正自由、开放的教育。在既活泼又富启发性的学习的激励下，他那长期被压抑的创造力，一下子蓬勃地迸发出来了。从苏黎世联邦理工学院毕业后，爱因斯坦进入伯尔尼专利局成为一名技术员。对他而言，这个工作虽然是学非所用，他却甘之如饴。因为他把这份无关自己研究内容的工作，当作脑子的另一种休息方式，丝毫不妨碍他既定的研究计划。难怪这期间，他写出了5篇才华横溢的论文。此后，他转到大学任职，正式踏入学术研究的殿堂。

1919年，英国天文学家观察日全食，证明了爱因斯坦的相对论之后，他一跃而成为世界著名的科学家。

事实上，过多的名利常使他感到厌烦，他为人低调，不喜欢那些正式的社交场合，努力不使自己丧失穿套头衫、穿松裤，并且不穿袜子的权利。享受孤独是他最大的喜悦。

不过，身为犹太人，却居住在迫害犹太人最惨烈的德国，他明白以他的名声可以帮助犹太民族在复国运动中取得事半功倍的效果。虽然，他反对所有狭隘的民族主义，但为了重建犹太人的民族自信心，解除强加于他们身上的种种不公平待遇，他冒着生命危险，担负起犹太民族主义运动精神领袖的重任，这完全是他高尚的政治觉悟使然。

爱因斯坦的伟大，来自于他心性上的单纯与谦虚。他用文学艺术以及哲学思辨的精神，去追寻科学中的美，去探索自然界的奥秘；同时他以博爱的宗教情操，面对两次世界大战的人类浩劫。他的一生，是20世纪一页耀眼的历史。

爱因斯坦大事年表

1879 年■ 出生。3 月 14 日出生于德国乌尔姆市。
1880 年■ 1 岁。全家搬到慕尼黑。
1885 年■ 6 岁。入天主教小学就读。1888 年，入路易波尔德高级中学就读。
1894 年■ 15 岁。全家搬到意大利米兰，爱因斯坦一直留在慕尼黑。次年前往米兰。放弃德国国籍。10 月，入瑞士阿劳州立中学就读。
1896 年■ 17 岁。10 月，入瑞士苏黎世联邦理工学院就读。
1900 年■ 21 岁。大学毕业，加入瑞士国籍。
1902 年■ 23 岁。在伯尔尼的瑞士联邦专利局工作。
1903 年■ 24 岁。和米列娃・马丽克结婚。
1905 年■ 26 岁。获得苏黎世大学物理学博士学位。发表《论动体的电动力学》等 5 篇论文。
1911 年■ 32 岁。发表万有引力使光弯曲的论文。任布拉格大学教授。
1912 年■ 33 岁。任瑞士苏黎世联邦理工学院教授。
1913 年■ 34 岁。任柏林威廉皇家物理研究所所长、柏林大学教授。
1916 年■ 37 岁。完成《广义相对论基础》。
1919 年■ 40 岁。与米列娃正式离婚后，与表妹艾尔莎结婚。英国日全食观测队的观测结果证实“广义相对论”理论正确。
1920 年■ 41 岁。2 月，母亲去世。6 月，去挪威和丹麦讲学。次年，首次访美，为耶路撒冷的希伯来大学募捐。
1922 年■ 43 岁。3 月，访问法国。年底至 1923 年，访问中国、日本、巴勒斯坦。旅行途中得知获诺贝尔物理学奖。
1926 年■ 47 岁。参加国际反法西斯主义运动。
1929 年■ 50 岁。发表《统一场论》。
1933 年■ 54 岁。放弃德国国籍。所有财产被纳粹政府没收。10 月，赴美国普林斯顿，任高级研究所终身研究员。
1936 年■ 57 岁。艾尔莎病逝。
1939 年■ 60 岁。8 月，为原子弹之事给罗斯福总统写信。次年，获得美国国籍。
1946 年■ 67 岁。发起组织成立原子能科学家非常委员会，并任主席。
1948 年■ 69 岁。前妻米列娃在苏黎世去世。发表《新统一场理论》。
1952 年■ 73 岁。辞谢以色列总统职位。
1955 年■ 76 岁。4 月 18 日，在普林斯顿去世。